U0122731

嘻哈鳥森林故事叢書

兒童正向教育繪本 8

一起來玩捉迷藏

何巧嬋　著
Kyra Chan　圖

作者 何巧嬋

何巧嬋，香港教育大學名譽院士、澳洲麥覺理大學（Macquarie University）教育碩士。曾任校長，現職作家、學校總監、香港教育大學客席講師。

主要公職包括多間學校校董、香港康樂及文化事務署文學藝術專業顧問、香港兒童文藝協會前會長等。

何巧嬋，熱愛文學創作，致力推廣兒童閱讀，對兒童的成長和發展，有深刻的關注和認識。截至 2021 年為止，已出版的作品約一百八十多本。

繪者 Kyra Chan

從小愛幻想，喜歡看繪本，對書籍的誕生一直有着憧憬，於是在設計學院畢業後投身童書出版界。特別擅長繪畫調皮可愛的畫風，已出版的繪畫作品包括《我的旅遊手冊》系列、《親親幼兒經典童話》系列、《立體 DIY 動手玩繪本》系列、抗疫繪本《病毒壞蛋，消失吧！》等。

kyra.illust

給小讀者的話

長頸鹿、猴子、烏龜、
胖胖豬和兔子一起玩遊戲，
賽跑？烏龜跑得太慢；
爬樹？小豬太胖了。
最後，他們決定玩捉迷藏，
誰來捉？誰來藏？
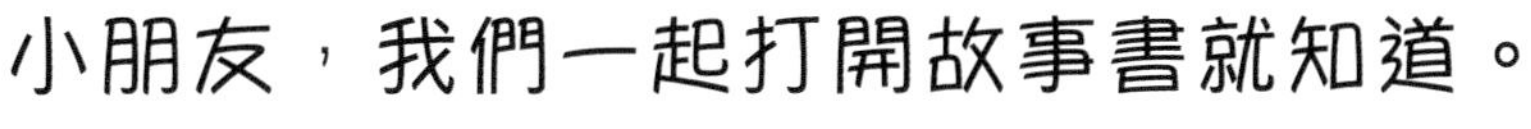
小朋友，我們一起打開故事書就知道。

在遠遠的森林裏，
住着兩隻嘻哈鳥。

嘻嘻是姊姊，
哈哈是弟弟，
他們是森林小精靈，
幾乎知道森林裏所有的事情。

在森林裏，所有小動物都是好朋友。
可是，每一種動物都不同，
有時候要找一個遊戲一起玩耍，
也不容易呢！

今天，長頸鹿、猴子、烏龜、胖胖豬和兔子各有不同的建議。

長頸鹿首先發表意見：
「我們來跑步吧！」

跑、跑、跑……
鳥兒吱吱在喝彩，
跑、跑、跑……
清風習習真涼快。
衝、衝、衝……
終點就在前面了，
衝過去，
贏了！

兔子搖搖頭說：
「我們兔子雖然跑得快，
可是，長頸鹿的腿這麼長，
當然跑得比我快得多！」

嘻嘻和哈哈站在大樹上，
聽到兔子的抗議後點頭說：
「有道理。」

「從前龜兔賽跑，
兔子輸給了烏龜，
現在當然不想再輸給長頸鹿！」

猴子擺一擺長尾巴說：
「我們來爬樹吧！」

一、二、一、二……往上爬，

樹枝搖呀搖，

樹葉飄呀飄，

樹上的好風景
爬到樹頂才能看得到。

「爬樹？」
胖胖豬瞪着圓眼睛，
「誰見過胖胖豬爬樹？」

「爬樹？」
烏龜從殼裏伸出脖子，
抬頭望向高高的大樹，
「誰見過烏龜爬樹？」

鷹媽媽從鳥巢裏
伸出頭來說：

嘻嘻和哈哈輕聲說：
「鷹媽媽正在樹上
孵寶寶呢！」

烏龜想出了好主意：

「我們來玩**捉迷藏**。」

森林裏，樹木多，
枝枝椏椏，層層疊疊；
翠綠的葉子，彩色的花。

森林裏，石頭多，
大大小小、高高低低；
褐色的泥土，墨綠的苔，
真是個躲藏的好地方。

「捉迷藏，你來找，我來藏。
一二三……走呀走，
四五六……藏呀藏，
七八九……找呀找，
我們來玩捉迷藏 。」

大家拍手同意了。

兔子信心滿滿舉手説：
「我的眼睛最明亮，
一定可以很快把你們找出來。
你們可要好好躲藏呀。」

兔子閉上眼睛，
伏在大樹幹上，
用心地數數。

可不准偷看呀！
、7、8、9、10……

快、快、快，
跑、跑、跑；
長頸鹿四處張望，
「我躲在這高高的樹後，
兔子就找不到我了！」

快、快、快，
爬、爬、爬；
小猴子倒吊在樹頂，
摘了兩片大樹葉，
蓋着自己的眼睛。

「看不見，看不見，誰也看不見我了！」
小猴子得意地說。

11、12、13、14、15、16、17、18、19、20……

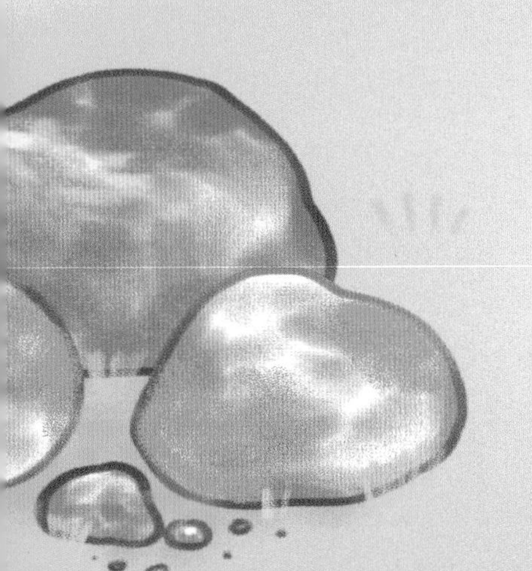

烏龜不慌不忙，
慢慢爬，慢慢爬……
「請給我多一點時間！」
他要找個好地方，
想個好辦法，好好躲起來。

1、32、33、34、35、
36、37、38、39、40……

胖胖豬走進樹叢裏，
樹上掛滿熟透的果子，
香噴噴啊！

胖胖豬開心極了，
他搖落了滿地的果子，
一個接一個地吃：
「太香甜了！太美味了！」

兔子閉上眼睛，
伏在大樹幹上，
用心地數數。

哈哈吹了一聲哨，
嘻嘻大聲宣布：
「森林捉迷藏，**開始了！**」

兔子豎起長長的耳朵，
細心地聽，

兔子張開圓圓的眼睛，
四處張望，

在哪裏？
在哪裏？
動物躲在哪裏呢？

「找到了，找到了！」

兔子走到長頸鹿身邊說：
「我看見你的長尾巴！」

「找到了，找到了！」

兔子抬頭望着樹上的小猴子問：
「哈哈，小猴子你為什麼戴了
一副樹葉眼鏡？」

「找到了，找到了！」

「這張烏龜椅子真不錯！」

兔子神氣地說。

哪裏傳來陣陣的果香？
兔子找到了：
「原來是你，
胖胖豬躲在這裏呢！」
胖胖豬捧着肚子說：
「真好吃，我飽得
快要走不動了！」

「捉迷藏

真好玩！」

給伴讀者的話

遊戲對於孩子的成長十分重要，孩子透過遊戲建立友誼，互相溝通，認識自己的特質，尊重別人的不同。遊戲帶來歡樂，孩子開心地笑，可以激發大腦的運作，令思考變得更靈活。

幽默感是正向教育推崇的性格強項之一，從小培養孩子的幽默感，日後遇事時自能舉重若輕，令生活更添樂趣。幽默感也是群體生活的滋潤劑，富幽默感的人，在朋友中總是較受歡迎。

這本書中的小動物都有可愛幽默的性格，伴讀者可以和小朋友一起閱讀，一起角色扮演，你一言，我一語，嘻嘻哈哈，享受閱讀和遊戲的樂趣 。

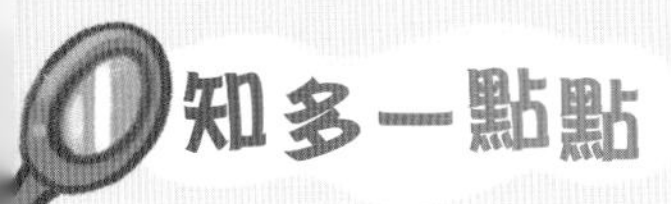

會「隱身」的動物

貓頭鷹

變色龍

很多動物都是捉迷藏的高手！因為自然界中有些動物有保護色，即是牠們身體的顏色，和生活的環境十分相似，例如在草叢中生活的動物是綠色的，在沙漠生活的動物是微黃色的。有些動物不只身體顏色和環境相似，連牠們的外表形態，也和環境或其他物種相近，例如竹節蟲長得像小樹枝，生物的這種現象叫擬態。

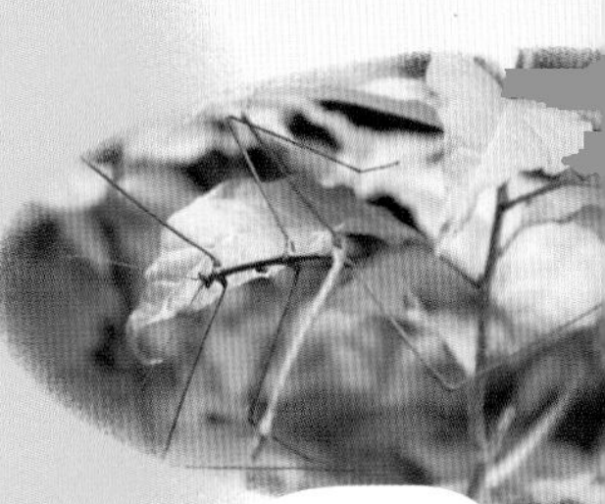
竹節蟲

保護色和擬態對動物有隱蔽的作用，讓牠們可以隱身起來，騙過捕食者，保護自己。不過同時，一些動物有這些特質，是為了捕獵時可以好好地隱藏起來，令獵物不會輕易發現到自己。

青蛙

雪兔

獅子

嘻哈鳥森林故事叢書

兒童正向教育繪本 8

一起來玩捉迷藏

作　　者：何巧嬋
繪　　者：Kyra Chan
責任編輯：周詩韵
美術設計：Kyra Chan
出　　版：明窗出版社
發　　行：明報出版社有限公司
香港柴灣嘉業街18號
明報工業中心A座15樓
電　　話：2595 3215
傳　　真：2898 2646
網　　址：http://books.mingpao.com/
電子郵箱：mpp@mingpao.com
版　　次：二〇二二年七月初版
I S B N ：978-988-8688-47-0
承　　印：美雅印刷製本有限公司